ISBN 9985-9025-1-3

Printed in Finland by Karprint Ky
Design and Production: Ann Tenno
Reproductions: GrafRak Oy, Finland

Special thanks to:
Jüri Kuuskemaa, John Opubor, Lothar Steffens

Ann Tenno

EESTIMAA PILDID

PICTURES OF ESTONIA
LANDSCHAFTEN IN ESTLAND

Eestimaa on minu jaoks see maalapike Läänemere kaldal, kuhu meie esivanemad kord peatuma jäid. Selle ümmarguse maakera üks punkt, mis oma mitmekesisusega paneb mõtlema kogu maailma kirevuse ja sarnasuse üle.

Jutustada Eestist tundub vahetevahel lõpmatu ülesandena, tema uued ilmed tulevad su ette iga järgneva sammuga.

Aga nii nagu iga inimese jutustus on erinev, on ka minu piltide valik seotud minu jaoks tähtsate ja lähedaste kohtadega. Need on kohad, mis annavad kindlusetunde ja rahu. Need on kohad, mis on seotud raskesti seletatava ja samal ajal nii selge mõistega - kodu.

Ja nende lõpmata paljude eri ilmete vahel valides võib seda järgnevat võib-olla nimetada üheks võimalikuks pildiks, üles võetud Eestimaal mõned aastad enne aastatuhande vahetust.

Ann Tenno

For me Estonia is the area of land on the shore of the Baltic Sea where our ancestors settled. A place on the earth that with its variability and uniqueness makes one wonder, at the same time, about the diversity and the similarity of the whole world.

To describe Estonia seems like an infinite task, as it presents new facets of itself with every step one takes.

But as the story of each person is different, my choice of pictures is bound with places that are important and close to me. They are places that give a person a sense of security and peace, the closeness and familiarity with a hard to explain and at the same time so distinct concept - home.

And while choosing between this endless number of different images, the following may be called a distinct picture of Estonia, taken just a few years before the turn of a new millennium.

Ann Tenno

Estland ist für mich das Stückchen Land, wo unsere Urahnen einst ansässig wurden. Ein winziger Punkt auf unserer Erdkugel, aber so bunt und vielfältig wie sonst nirgends auf der Welt.

Ich habe Orte fotografiert, die für mich wichtig und vertraut sind. Und wie die Geschichte eines jeden Menschen unterschiedlich ist, so ist auch meine Auswahl der Fotos eine sehr persönliche.

Es sind dies Orte, die einem das Gefühl der Sicherheit und Ruhe geben, Orte, die mit einem schwer erklärbaren und gleichzeitig so klaren Begriff verbunden sind: Zuhause.

Über Estland zu erzählen, scheint mir manchmal eine unendliche Aufgabe zu sein: auf jeden Schritt entdeckt man eine neues Antlitz. Und als ich aus diesen vielen verschiedenen Antlitzen meine Bilder auswählte, merkte ich, daß sich das Ganze dennoch zu einem Gesamtbild zusammenfügt, das Bild von meinem Estland, ein paar Jahre vor dem Jahrtausendwechsel.

Põhjarannik
The North Coast
Die Nordküste

Ontika paekallas
Ontika limestone bank
Kalksteinbank von Ontika

Põhjarannik, Purtse linnus
The North Coast, Castle of Purtse
Burg Purtse an der Nordküste

Kesk-Eesti raba
A marsh in Middle Estonia
Sumpf in Mittelestland

Laukasoo
Laukasoo marsh
Laukasoo

Kakerdaja raba
Kakerdaja marsh
Kakerdaja-Sumpf

Viru raba
Viru marsh
Viru-Sumpf

Toila rand
Toila Beach
Strand von Toila

Uus tänav Tallinnas
Tallinn, Uus Street
Tallinn, Neugasse

Tallinna Raekoja plats
Tallinn, Town Hall Square
Tallinn, Rathausplatz

Tallinna vanalinn ja Toompea
Tallinn, Old Town and Toompea
Tallinn, Unterstadt und Toompea

20

Tallinna vanalinn ja Oleviste kirik
Tallinn, Old Town and St. Olav's Church
Tallinn, Altstadt und St. Olavs-Kirche

Tallinna vanalinn
Tallinn, Old Town
Tallinn, Altstadt

Tallinna Raekoja plats ja vanalinn
Tallinn, Town Hall Square and Old Town
Tallinn, Rathausplatz und Altstadt

Tallinn, "Kolm õde"
Tallinn, "The Three Sisters"
Tallinn, Häusergruppe "Die Drei Schwestern"

Tallinna vanalinn ja Toompea
Tallinn, Old Town and Toompea
Tallinn, Unterstadt und Toompea

Lõuna-Eesti maastik
Souther Estonian landscape
Landschaft in Südestland

Meremäe mänd
Pine tree in Meremäe
Pinie in Meremäe

Piusa jõgi
Piusa river
Der Piusa

Pühajärv
Lake Pühajärv
Pühajärv-See

Karksi-Nuia

Lõuna-Viljandimaa
Southern part of Viljandi county
Süd-Viljandi

31

Õhtu Põlvamaal
Evening in Põlva county
Abend in Põlva

Peraküla rand
Peraküla Beach
Peraküla-Strand

Paide, ordulinnuse varemed
Paide, ruins of Castle Livonian Order of Paide
Paide, Ruinen der Ordensburg Paide

Põltsamaa ordulinnus
Castle of Livonian Order Põltsamaa
Ordensburg Põltsamaa

Kose kirik
Kose Church
Kirche in Kose

Kesk-Eesti maastik
Scenery in Middle Estonia
Landschaft in Mittelestland

Tartu laululava
Tartu, Song Festival's Ground
Tartu, Platz des Sängertreffens

Tartu, Toomemägi ja Toomkirik
Dome Hill at Tartu with ruins of Cathedral Church
Domberg in Tartu mit Ruinen der Domkirche

Tartu kesklinn
The centre of Tartu
Tartu, Stadtmitte

Tartu Raekoja plats
Town Hall Square in Tartu
Rathausplatz in Tartu

Tartu Ülikooli peahoone
Main building of the University of Tartu
Hauptgebäude der Tartuer Universität

Tartu kesklinn
The centre of Tartu
Tartu, Stadtmitte

Pangodi järv
Lake Pangodi
Pangodisee

Viljandi Lossimägi
Castle Hill in Viljandi
Schloßberg in Viljandi

Viljandi kesklinn
The centre of Viljandi
Viljandi, Stadtmitte

Lõuna-Eesti maastik
Scenery of Southern Estonia
Landschaft in Südestland

Pärnu kesklinn ja Vallikäär
Pärnu, central part of town and Vallikäär
Pärnu, Ortskern und Vallikäär

Pärnu, jahisadam ja jahtklubi
Pärnu, Yachtclub and Harbor
Pärnu, Jachtklub und Hafen

Pärnu rannahotell
Pärnu Beach hotel
Pärnu Strandhotel

Vihm Pärnus
Rain in Pärnu
Pärnu im Regen

Vormsi kadakad
Junipers in Vormsi
Wacholder in Vormsi

Vormsi majakas
Vormsi's lighthouse
Vormsi, Leuchtturm

Hiiumaa laiud
Islets near Hiiumaa
Kleine Inseln bei Hiiumaa

Kõpu tuletorn
Kõpu lighthouse
Kõpu, Leuchtturm

Saaremaa, Valjala kirik
Saaremaa, church at Valjala
Saaremaa, Kirche in Valjala

Kuressaare linnus
The Bishop Castle of Kuressaare
Bischofsburg Kuressaare

Kuressaare kesklinn
Kuressaare, central part of town
Kuressaare, Stadtmitte

Saaremaa, Pöide kirik
Saaremaa, fortified church of Pöide
Saaremaa, Wehrkirche in Pöide

63

Koguva küla Muhumaal
The Koguva Village in Muhu
Koguva-Viertel in Muhu

Muhu kirik
Church of Muhu
Kirche in Muhu

Läänerannik
The Western Coast
Die Westküste

Mustjala pank Saaremaal
The Mustjala bank in Saaremaa
Die Mustjala-Bank in Saaremaa

Tõlluste küla Saaremaal
Tõlluste village in Saaremaa
Das Dorf Tõlluste in Saaremaa

Muhu tuulik
Muhu windmill
Windmühlen in Muhu

Matsalu lahe rand
The shore of Matsalu Bay
Naturschutzgebiet Matsalu

Saaremaa, Kihelkonna kiriku kellatorn
Saaremaa, belfry at Kihelkonna
Saaremaa, Glockenturm von Kihelkonna

Keibu laht
Keibu Bay
Keibubucht

Altja rand
Altja Beach
Strand von Altja

Porkuni mõis
Manor at Porkuni
Rittergut Porkuni

Palmse mõisa park
Manor park at Palmse
Park des Rittergutes Palmse

Vihula

Alatskivi loss
Castle of Alatskivi
Schloß von Alatskivi

Haanjamaa

Sangaste loss
Castle at Sangaste
Schloß von Sangaste

Väike-Taevaskoda, Neitsikoobas

Ahja jõgi Taevaskojas
Ahja river in Taevaskoja
Der Fluß Ahja in Taevaskoja

Urvaste ürgorg
Ancient valley of Urvaste
Altes Tal von Urvaste

Vällamägi ja Perajärv
Vällamägi Hill and Lake Perajärv
Berg Vällamägi und Perajärvsee

Pirita jõgi
Pirita river
Der Pirita

Rõuge kirik
Rõuge Church
Kirche in Rõuge

Ontika paekallas
Ontika limestone bank
Kalksteinbank von Ontika

Keila juga
Keila waterfall
Der Keilawasserfall

Haapsalu linnuse torn
Belfry in Castle of Haapsalu
Glockenturm in Haapsalu

Vana-Antsla mõisamaja
Manorhouse at Vana-Antsla
Herrenhaus in Vana-Antsla

Vana-Antsla

Rannapark Tallinnas
Coastal park in Tallinn
Küslenpark von Tallinn

Tallinn, Toompea

Spithami